HISTOIRE DE BABAR

ISBN 978-2-211-06327-2
Première édition dans la collection *lutin poche* : octobre 1979
© 1939, Librairie Hachette, Paris
Loi numéro 49956 du 16 juillet 1949 sur les publications
destinées à la jeunesse : octobre 1979
Dépôt légal : mars 2018
Imprimé en France par Aubin Imprimeur à Ligugé

JEAN DE BRUNHOFF

HiSTOIRE
de
BABAR
le petit éléphant

Librairie Hachette

l'école des loisirs
11, rue de Sèvres à Paris 6ᵉ

Dans la grande forêt,
un petit éléphant est né.
Il s'appelle Babar.
Sa maman l'aime beaucoup.
Pour l'endormir,
elle le berce avec sa trompe
en chantant tout doucement.

Babar a grandi. Il joue maintenant
C'est un des plus gentils. C'est lui

avec les autres enfants éléphants.
qui creuse le sable avec un coquillage.—

Babar se promène très heureux
sur le dos de sa maman,
quand un vilain chasseur,
caché derrière un buisson,
tire sur eux.

Le chasseur a tué la maman.
Le singe se cache, les oiseaux s'envolent,
Babar pleure.
Le chasseur court pour attraper
le pauvre Babar.

Babar se sauve
parce qu'il a peur
du chasseur.
Au bout de quelques jours,
bien fatigué,
il arrive près d'une ville...

Il est très étonné
parce que
c'est la première fois
qu'il voit
tant de maisons.

Que de choses nouvelles !
Ces belles avenues !
Ces autos et ces autobus !
Pourtant ce qui intéresse
le plus Babar ,
ce sont deux messieurs
qu'il rencontre dans la rue.

Il pense :
« Vraiment ils sont très bien habillés.
Je voudrais bien avoir aussi
un beau costume......
Mais comment faire ? ? ?

Heureusement
une vieille dame très riche,
qui aimait beaucoup
les petits éléphants,
comprend en le regardant
qu'il a envie
d'un bel habit.
Comme elle aime faire plaisir
elle lui donne
son porte-monnaie.

Babar lui dit:
« Merci, Madame. »

Sans perdre une minute
Babar va dans un grand magasin
Il entre dans l'ascenseur.
Il trouve si amusant
de monter et de descendre
dans cette drôle de boite,
qu'il monte dix fois tout en haut,
descend dix fois tout en bas.
Il allait continuer
quand le groom de l'ascenseur lui dit :
« Ce n'est pas un joujou,
monsieur l'éléphant,
maintenant il faut sortir
pour acheter ce que vous voulez,
justement
voilà le chef de rayon.

Alors il s'achète:

une
chemise
avec col
et
cravate,

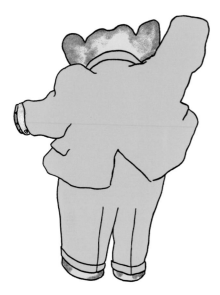

un
costume
d'une
agréable
couleur
verte,

puis
un
beau
chapeau
melon,

enfin
des
souliers
avec
des
guêtres.

très content
de ses achats
et satisfait
de son élégance,
Babar va
chez le photographe.

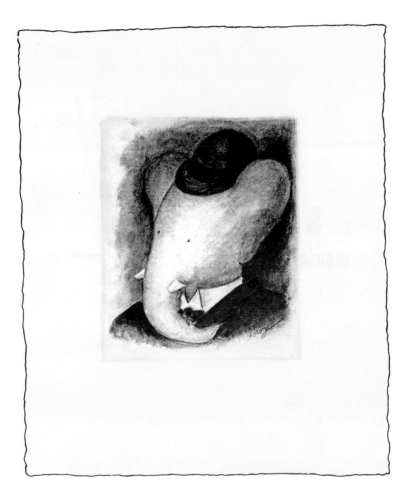

Et voilà sa photographie.

Babar va dîner
chez son amie la vieille dame.
Elle le trouve très chic
dans son costume neuf.
Après le dîner, fatigué,
il s'endort vite.

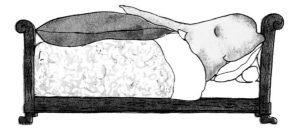

Maintenant
Babar habite chez la vieille dame.
Le matin, avec elle,
il fait de la gymnastique,
puis il prend
son bain.

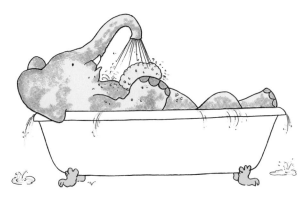

Tous les jours il se promène en auto.
est la vieille dame qui la lui a achetée
Elle lui donne tout ce qu'il veut._

Un savant professeur lui donne des leçons.
Babar fait attention
et répond comme il faut.
C'est un élève qui fait des progrès.

Le soir, après dîner, il raconte aux amis de la vieille dame sa vie dans la grande forêt...

Pourtant
Babar n'est pas tout à fait heureux :
il ne peut plus jouer
dans la grande forêt
avec ses petits cousins
et ses amis les singes.

Souvent, à la fenêtre,
il rêve en pensant
à son enfance,
et pleure
en se rappelant
sa maman.

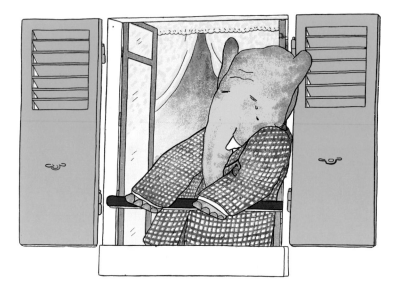

Deux années ont passé.
Un jour pendant sa promenade
il voit venir à sa rencontre
deux petits éléphants tout nus.
« Mais c'est Arthur et Céleste,
mon petit cousin et ma cousine ! »
dit-il stupéfait à la vieille dame.

Babar embrasse Arthur et Céleste
puis il va leur acheter de beaux costumes

Il les emmène chez le pâtissier
manger de bons gâteaux

Pendant ce temp
les éléphants cherchent
et leurs maman
Heureusement, en volant sur la vill
Vite il vien

dans la forêt,
ppellent Arthur et Céleste,
ont bien inquiètes.
n vieux marabout les a vus .-
révenir les éléphants.

Les mamans d'Arthur et de Céleste
sont venues les chercher à la ville.
Elles sont bien contentes de les retrouver,
mais elles les grondent tout de même
parce qu'ils se sont sauvés.

Babar se décide à partir
avec Arthur Céleste et leurs mamans,
et à revoir la grande forêt.
Aidé par la vieille dame,
il fait sa malle.

Tout est prêt pour le départ.
Babar embrasse sa vieille amie.
S'il n'avait pas le chagrin de la laisser,
il serait tout à fait heureux de partir.
Il lui promet de revenir.
Jamais il ne l'oubliera.

Ils sont partis ...
Les mamans
n'ont pas de place
dans l'auto,
elles courent derrière
et lèvent leurs trompes
pour ne pas respirer
la poussière.—
La vieille dame
reste seule ;
triste, elle pense :

« Quand reverrai-je mon petit Babar ? »

Le même jour, hélas, le roi des éléphants
a mangé un mauvais champignon.

Empoisonné, il a été très malade,
si malade qu'il en est mort.
C'est un grand malheur.

Après l'enterrement
les plus vieux des éléphants se sont réunis
pour choisir un nouveau roi.

Juste à ce moment ils entendent du bruit,
Qu'est-ce qu'ils voient ! Babar qui arrive
et tous les éléphants qui courent en criant :

« Les voilà ! Les voilà !
Ils sont revenus !
Bonjour Babar ! Bonjour Arthur !
Bonjour Céleste !
quels beaux costumes !
Quelle belle auto ! »

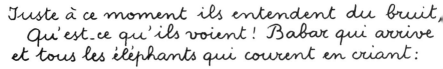

ils se retournent.
dans son auto

Alors Cornélius
le plus vieux des éléphants
dit de sa voix tremblante :
« Mes bons amis, nous cherchons un roi,
pourquoi ne pas choisir Babar ?
Il revient de la ville,
il a beaucoup appris chez les hommes.
Donnons lui la couronne. »
Tous les éléphants trouvent
que Cornélius a très bien parlé -
Impatients,
ils attendent la réponse de Babar.

« Je vous remercie tous,
dit alors ce dernier,
mais avant d'accepter,
je dois vous dire
que, pendant notre voyage en auto,
Céleste et moi
nous nous sommes fiancés.
Si je suis votre roi, elle sera votre reine. »

Vive la reine Céleste !

Vive le roi Babar !!!
crient tous les éléphants sans hésiter
Et c'est ainsi que Babar devint roi.

Babar dit à Cornélius :
« Tu as de bonnes idées,
aussi je te nomme général,
et quand j'aurai la couronne
je te donnerai mon chapeau.
Dans huit jours
j'épouserai Céleste.
Nous aurons alors une grande fête
pour notre mariage
et notre couronnement. »
Ensuite Babar demande aux oiseaux
d'aller inviter tous les animaux,

et charge le dromadaire de lui acheter
à la ville de beaux habits de noce.

Les invités commencent à arriver.
Le dromadaire rapporte les costumes
juste à temps pour le mariage.

Après le mariage et le couronnement,

tout le monde danse de bon cœur.

La fête est finie,
la nuit est tombée,
les étoiles se sont levées.
Le roi Babar et la reine Céleste,
heureux,
rêvent à leur bonheur.

Maintenant tout dort,
les invités sont rentrés chez eux,
très contents mais fatigués
d'avoir trop dansé.
Longtemps
ils se rappelleront ce grand bal.—

Dans un superbe ballon jaune,
le roi Babar et la reine Céleste
partent en voyage de noces
pour de nouvelles aventures._

Mon père Jean de Brunhoff

Jean de Brunhoff est né en décembre 1899.

Son père Maurice, français d'origine balte et suédoise, était éditeur d'art. Il publia notamment la très belle revue de théâtre «Comoedia Illustré» et les programmes des ballets russes de Serge Diaghilev. Les frères de Jean devinrent aussi éditeurs : l'aîné, Jacques, prit la suite de Maurice de Brunhoff; Michel, rédacteur en chef de «Vogue» à Paris pendant de longues années, reste encore dans les mémoires comme un homme qui comprenait et aidait les artistes. Le beau-frère de Jean, Lucien Vogel, directeur de magazines de mode («La Gazette du Bon Ton», puis «Le Jardin des Modes»), créa le premier magazine d'actualités photographiées : «Vu».

Mon père était de beaucoup le plus jeune; c'était le poète de la famille. Je ne pense pas qu'il se soit jamais imaginé autrement que peintre. Ayant travaillé avec l'un des maîtres du Fauvisme, Othon Friesz, il resta cependant en marge de tous les courants d'avant-garde : cubisme, expressionnisme, surréalisme. Il n'était pas attiré par le «spectaculaire».

Jean de Brunhoff avait épousé en 1924 la fille d'un médecin, Cécile Sabouraud, ma mère. C'est elle qui fut à l'origine de Babar. Elle aimait nous raconter des histoires à mon frère et à moi – mon frère Mathieu d'un an plus jeune que moi. C'est ainsi qu'un jour elle nous raconta l'histoire d'un petit éléphant qui s'enfuit pour échapper au chasseur et arrive dans une ville; là il s'habille comme un homme, puis revient chez lui en voiture, pour être couronné roi des éléphants. Cette histoire nous plut tellement que nous la racontâmes à mon père. L'idée lui vint alors de s'amuser à en faire un livre illustré pour nous.

De cette anecdote il ne faudrait pas tirer des conclusions trop rapides : ma mère n'a pas été la collaboratrice qui invente les histoires et mon père seulement l'illustrateur. Mon père a imaginé toutes les aventures de Babar. Même dans le premier album il créa par exemple le personnage de la Vieille Dame, qui ajoute une dimension si originale à l'histoire du petit éléphant. Bien sûr il écoutait les remarques de ma mère, comme les miennes ou celles de mon frère, mais il les confrontait toujours avec sa propre sensibilité.

Ce fut lui qui trouva le nom de Babar. Il inventait des noms avec une véritable délectation. À côté de Cornélius, Céleste, Zéphir, on trouve Olur, Capoulosse, Hatchibombotar et bien d'autres.

Les frères de mon père et ses amis, enthousiasmés, poussèrent Jean à publier l'album. Lucien Vogel fut l'éditeur et le livre sortit en 1931 aux Éditions du Jardin des Modes. Le succès fut rapide. Encouragé par cet accueil et découvrant en lui-même une âme de conteur, mon père poursuivit avec passion les aventures de Babar. Dans le second album, Babar, ayant épousé Céleste, part à l'aventure (*Le Voyage de Babar*). Dans le troisième il construit la ville des éléphants (*Le Roi Babar*). Cet album marque une évolution dans l'œuvre de mon père : tous les éléphants, à l'exemple de Babar, s'habillent et se tiennent debout. On perd un peu de la poésie de la «Grande Forêt» au profit d'une gentille satire de la société des hommes. Babar traverse les frontières : en 1933 A.A.Milne[*] écrit une préface à l'édition anglaise. Cette même année Babar est publié à New York. Jean de Brunhoff cependant montre son goût pour le féérique et les mythes traditionnels : c'est au pays du singe Zéphir où l'on trouve une petite sirène et des monstres qui changent en pierre ceux qui ne savent pas les faire rire. J'ai un faible pour ce livre, ainsi que pour l'*ABC de Babar* dans lequel les illustrations atteignent un raffinement merveilleux.

En 1934 mon frère Thierry est né : Babar aura donc trois enfants comme Jean de Brunhoff… mais non pas trois garçons, une fille Flore et ses deux frères Pom et Alexandre. Le «*Babar en Famille*» sera le prochain album. Babar est devenu un personnage célèbre. En 1936 la Compagnie Générale Transatlantique demande à Jean de Brunhoff de décorer la salle à manger des enfants sur le paquebot «Normandie». Pour cette décoration mon père s'inspirera des pages de garde de ses albums : sur un fond de couleur verte de petits éléphants gris courent, dansent et jouent. Les éléphants étaient découpés dans du contreplaqué et longtemps nous en avons accrochés quelques uns sur les murs, à la maison.
Léon Chancerel, directeur d'une compagnie de Théâtre pour Enfants demande à Jean de Brunhoff d'écrire une pièce en collaboration. C'est ainsi que l'on verra Babar «sur les planches», interprété par un acteur coiffé d'une grosse tête d'éléphant en tissu et enveloppé d'un costume vert rembourré, pour lui donner la corpulence de Babar. À cette époque le Jardin des Modes cède les Albums Babar à la Librairie Hachette, mieux organisée pour en assurer la diffusion. En Amérique Robert K. Haas rejoint Beneth Cerf et apporte la série à Random House. En Europe, après l'Angleterre, les pays scandinaves s'intéressent à Babar. Mais mon père, d'une santé délicate, passe en Suisse de longs mois et c'est là qu'il créera ses deux derniers albums (*Babar en Famille* et *Babar et le Père Noël*), pour paraître en feuilleton dans l'édition du dimanche du Daily Sketch à Londres, avant de mourir en octobre 1937.

Je voudrais dire que je n'ai jamais eu l'impression d'avoir un père malade, sauf pendant les derniers mois de sa vie. Les commentateurs se sont livrés souvent à des spéculations de la plus haute fantaisie. On a dit par exemple qu'il avait été séparé de sa famille et qu'il envoyait de Suisse à ses enfants les albums qu'il dessinait. C'est faux. Nous avons toujours vécu ensemble, les mois d'hiver à la montagne, les mois d'été à la campagne, entre temps à Paris. Ridicules aussi les réflexions philosophiques sur la gaité de l'artiste qui se sentait mourir. Sa gaité, le regard plein d'humour et de tendresse qu'il portait sur les hommes

[*] A.A. Milne est l'auteur des «Winnie the poo»

et les choses, c'était l'expression de sa personnalité. Il n'est pas nécessaire de l'expliquer par une réaction contre la maladie ou la conscience d'une fin prochaine.

J'avais douze ans lorsque mon père est mort et déjà j'aimais dessiner. Ses deux derniers albums (*Babar en famille* et *Babar et le Père Noël*) parus en noir dans le Daily Sketch étaient restés inachevés. La mise en couleur fut terminée sous la direction artistique de Michel de Brunhoff et, pour quelques pages, mon oncle s'adressa à moi. J'entrai ainsi dans le monde de Babar. Les deux albums furent publiés en édition posthume, puis le monde de l'édition resta en sommeil jusqu'en 1945.

À vingt ans je voulais être peintre moi-même et travaillais à Montparnasse, évoluant rapidement vers une peinture «abstraite». Cependant l'idée de faire un album Babar faisait son chemin en moi: ne plus me contenter de dessiner de petits éléphants sur des bouts de papier, mais inventer une nouvelle histoire, renouer le fil des aventures du roi des éléphants interrompues brutalement. Ce monde de Babar, je le connaissais, j'avais vécu «dedans» pendant les six années de création de mon père. Et puis j'étais un rêveur comme lui. Ainsi je m'appliquai à retrouver fidèlement son style: Babar et ce Coquin d'Arthur était publié à Paris en 1946. Babar renaissait.

Aujourd'hui j'ai dépassé depuis longtemps l'âge de mon père à sa mort. Babar est connu en Allemagne comme au Pays de Galle, en Espagne comme au Japon. l'Amérique l'a adopté. Suivant l'évolution des mœurs, Babar s'est montré à la télévision, on l'a entendu en disque, on l'a vu en poupée de peluche; à côté des grands albums, de petits livres meilleur marché ont élargi son public.

Je n'oublie pas que Babar a été créé par mon père, mais il est aussi devenu mon personnage, avec qui je voyage dans l'île aux Oiseaux, aux État-Unis ou sur une planète inconnue. Il arrive que Babar se promène en fusée, son cousin le jeune Arthur peut circuler à moto, cependant l'univers poétique de Babar reste le même: une société libérale d'éléphants, dans une atmosphère familiale et amicale.

Bien entendu la tentation m'est venue de créer des albums sans éléphants, tels *Anatole et son Ane*, *Serafina la girafe*, *Gregory et Dame-Tortue*, *Bonhomme*, *Le Cochon Cornu*. Ces livres ne mettent pas en scène tout un monde d'animaux mais seulement deux trois personnages, l'intérêt étant centré sur les rapports psychologiques entre eux.

J'ai écrit une vingtaine d'albums Babar et je m'amuse toujours à en écrire et en dessiner de nouveaux. Là est le secret d'un auteur de livres d'enfants: il faut s'amuser soi-même. Mêler le réel et l'imaginaire, comme le fait l'enfant, qui passe du quotidien au rêve sans y penser, car pour lui la chose dite «existe», autant que les objets et les êtres qui l'entourent.

Laurent de Brunhoff